我的吸血鬼同學

11
東方學園交換生

創作繪畫·余遠鍠　　故事文字·陳四月

目錄

迦南

擁有金黃魔力的人類少女。好奇心重，領悟力強，平易近人的她曾被黑暗勢力封印起她的魔力，是九頭蛇想捉拿的人。

安德魯

吸血鬼高材生。外形冷酷，沈默寡言，喜歡閱讀的他想找出失蹤多年的父親，對迦南格外關心。

卡爾

胃口極大的人狼。是學園小食部常客，身材健碩，熱愛跑步，經常遲到的他和安德魯自小已認識。

美杜莎

蛇髮妖族的後裔。由於這一族的妖族出了很多危害國家的罪犯，所以美杜莎在學園也被杯葛孤立。她曾嫉妒受歡迎的迦南，但現時二人已成為朋友。

四葉

來自東方學園的九尾妖狐少女。活潑好動而且十分熱情的她和卡爾有婚約在身。和迦南一樣，四葉也擁有金黃魔力。

阿諾特

吸血鬼一族的王子，是被寄予厚望的天才。追求力量和榮耀的他自視高人一等，對同樣被視為天才的安德魯抱有敵意。

海德拉

才華洋溢的天才魔法師，為拆穿王國的謊言，揭露歷史真相而不惜犧牲一切，是令人聞風喪膽的黑魔法派領袖。

唐三藏

東方學園的年輕教師，和迦南一樣是人類。法術高強的她美貌與智慧並重，心地善良以作育英才為己任。

孫悟空

在東方魔幻世界中無人不知的名字。失去記憶的他只知道自己要保護唐三藏，但為什麼變成了小猴卻是謎團。

牛魔王

器宇軒昂的學園首席，父親是東方三大國之一、帝都的國王。為了建立和平的世界而力爭上游。

雙兒

東方法術名門世家的後人，沈默寡言，性格冷酷。為了令妹妹起死回生而踏上旅途。

雙雙

東方法術名門世家的後人，雙兒的妹妹，為保護姐姐而犧牲，現在以殭屍姿態並暫時存活。

第一章

東方學國

　　歡迎各位在新學年來到東方學園學習的西方學園四年級生，老夫是東方學園的校長。自魔幻學園成立以來，為促進雙方交流，解除自古以來的不和誤解，兩園的學生也會在四、五年級互換，我代表一眾東方學園的師生歡迎這些交換生。

　　東方學園是富東方建築色彩的地方，亭台樓閣、軒榭廊舫、石山高塔盡入眼簾，而這鳥語花香的地方，是由**威名遠播**的麒麟校長管理的。

西方**黑魔法派之亂**平息後，迦南等人順利從三年級升班至四年級。在人類世界中，這等於從初中升學至就讀高中，學生們更有機會被分派簡單任務，令其一方面遊歷四方，增廣見聞；另一方面提早適應社會，發掘自己的未來發展路向。

真可惜呀！我們今年不在同一班了。

貓女米露抱著迦南依依不捨的說。

不過我們的宿舍應該相距不遠吧。

蛇髮魔女美杜莎和米露被分配到朱雀班。

對呀，東方學園的宿舍是以四合院的建築風格建設，四方均設立不同班級的獨立宿舍，中庭更是一個非常有趣的地方。

九尾狐四葉終於回到她熟悉的東方學園。

青龍、白虎、玄武、朱雀——東方學園的班級是以東方**四聖獸**命名的，而四葉、迦南、愛莉和卡爾，則被分配到青龍班。

有趣的地方？是什麼？是超級大廚房嗎？

卡爾來到東方學園後最期待的，就是宿舍到底會提供怎樣的膳食。

就算升班了，你還是和以前一樣，滿腦子都是吃的呢！

迦南苦笑著說。

「很快你們就會知道了，東方學園可是不簡單的地方呀。」身為東道主的四葉心情大好，這裡的人和物，充滿了她的回憶。

「啊！就是這裡了吧？為什麼會有擂台在中間？」愛莉驚訝地問。

> 這裡可是實力至上的東方學園呀！學生之間喜歡比武對練，更設有排名榜呢。

和西方學園不同，東方學園更著重學生的實戰能力，很多東方學園的學生還未畢業已闖出名堂。

這一點迦南等人也不遑多讓，在皇城保衛戰中，她們**貢獻良多**，早已被視為新世代中備受矚目的新星。

「唉呀，這班好動的傢伙，還未正式開學已開始排名戰呢！」擂台上已有學生在比試，四葉看到場外場內有她熟悉的面孔，急不及待上前打招呼。

> 排名戰？這怎能少了我的份兒？我三扒兩撥就能把他們打個落花流水了！

身手不凡的卡爾對比試十分感興趣，跟著四葉跑了起來。

「作為未來的**專業記者**，我嗅到值得拍攝報道的題材了，等等我呀……」米露拿出相機追上去。

「比試的話該會有人受傷吧，正好讓我練習新研究的治療魔法呢。」米露的志願是記者，而美杜莎想朝醫療服務發展。

來到四年級，各人對未來要發展的事業、感興趣研究的項目，大致已有了初步方向，接下來就是進一步確立未來志願的好時候。

「哈哈，看來他們很快便會適應東方學園了。」愛莉挽著迦南的手說。

嗯……對呢。

迦南目前對新環境還沒有多大感覺，因為她的腦海仍是只充斥著某個人的回憶，容不下感受其他。

「迦南？」愛莉看出迦南的失落，自皇城一役之後，她便未曾看到迦南真心的笑容。

「我們快跟上去吧。」迦南**強顏歡笑**，面對未知的挑戰，她知道必須抱著積極的態度，抖擻起來。

因為她相信安德魯一定還活著，一定會活著回到她身邊，黑洞魔法把他和海德拉轉移到東方領土，迦南相信他一定**吉人自有天相**。

中央比武擂台正進行著學生排名戰，雙方選手都是四年級的東方妖魔，但是他們的表現卻**強弱懸殊**，有如大人正在欺負小朋友。

「這樣的小傢伙也敢自誇是齊天大聖孫悟空？你還是回花果山跟你的猴哥猴姐重新修煉過吧！」

矮小的猴妖手短腳短被單手揪起，任他怎努力揮動拳頭，也觸碰不到眼前高大肥壯的大豬妖。

「八戒哥，速速解決這不自量力的小笨猴吧！」河童沙僧在擂台外**吶喊助威**。

「可惡，有本事就放手和我再打過！」小猴子頂著一頂包裹頭顱的大帽子，帽子前方有一個大大的金鎖扣。

「好，本豬就看看你有什麼本事。」豬妖八戒鬆開揪住小猴衣領的手，小猴隨即失去重心跌倒地上。

「怎麼了？那**威名遠播**，跟著唐三藏老師降服大妖的孫悟空，連自己站起來也辦不到嗎？」拿著大泥耙的八戒嘲笑著說。

「你別激怒我啊，我發火的時候是很可怕的啊！」小猴站起拍拍身上的沙子，仰望著比他高出三倍有多的八戒。

「那就生氣給我看呀，你這頂著怪帽子的冒牌孫悟空。」

八戒存心挑釁，小猴對自己的名字和帽子特別執著。

「你這大肥豬⋯⋯」

小猴怒火中燒，一雙圓圓大眼亮起微微火光。

　　「他的魔力……在緩緩上升。」來湊熱鬧的西方學園交流生已來到擂台邊觀望，迦南感覺到小猴身體蘊含著**不可思議**的魔力。

　　「能擋下我的全力揮耙，我就承認你是孫悟空！」八戒的全力一擊氣勢迫人，小猴已來不及閃避。

　　「不會吧！對小孩子也下重手？」愛莉擔心著說。

　　金屬碰撞聲響遍擂台，但小猴卻毫無損傷。

「這就是你的全力了嗎？看來東方妖魔也沒什麼了不起呢。」

因為人狼卡爾及時趕到，以粗壯結實的手臂擋下八戒的全力一擊。

八戒緊盯著卡爾說⋯⋯

這裡是排名戰的擂台，西方的傢伙真不守規則，在比試結束前任何人也不得闖到擂台上。

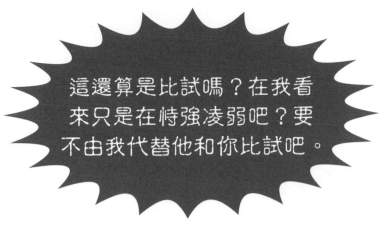

這還算是比試嗎？在我看來只是在恃強凌弱吧？要不由我代替他和你比試吧。

　　四葉也看不過眼，跳躍到擂台中央宣戰。

　　「四葉姐？你終於回來東方學園了嗎？」河童沙僧驚訝地說。

　　「**看在四葉姐份上……這次就算了，人狼，我會記住今天的事。**」八戒也對四葉有所顧忌。

　　「我也會記住你這肥豬，下一次，我會在這擂台上讓你感受一下被欺負的滋味。」卡爾最討厭人多欺負人少和**恃強凌弱**的惡霸。

　　強者是為了保護弱者而存在，這是他和安德魯從小到大抱著的信念。

是四葉嗎？我還以為你不再回來東方學園了。

男妖魔**俊朗不凡**，頭上長有一對大牛角，身材高大魁梧，散發著震懾人心的強大氣場。

「很久不見了，牛魔王哥哥……」四葉熱情地揮手打招呼。

「牛魔王？豬八戒？沙僧？還有孫悟空？這些不是**西遊記**中的角色嗎？」喜愛閱讀的迦南曾看過這部經典名著，但從未想過在現實生活中，會有著同名同姓的人物存在。

「你們還在這裡幹什麼？不用上課嗎？第一天就想遲到罰站嗎？」有孫悟空有豬八戒的東方大地，當然少不了那位名人。

「是唐三藏老師，八戒大哥，我們快走吧！」河童沙僧對老師既敬且畏。

在東方魔幻世界裡，留著長長的烏黑秀髮，散發著**高貴氣質**的唐三藏，是位女生。

◆第二章◆
唐三藏與孫悟空

在東方之中，很多妖魔家族對名聲十分重視，而他們族中最優秀、最受寄望的**後代**，會繼承前人留下的名號。

牛魔王、豬八戒、沙僧，他們都是族中傑出的生力軍，所以繼承了曾創下豐功偉績的祖先的名字。

「唐三藏……老師？」迦南**目瞪口呆**，令她驚訝的不只是唐老師脫俗的氣質。

「你們是今年的交流生吧，我是青龍班的班主任，上課不專心的話我可不會對你們**手下留情**呀。」唐老師微笑著說。

「老師你是人類？」迦南對唐老師充滿好奇。

「對，我和你一樣是人類。」唐老師說。

「那麼唐三藏……是我認知中的唐三藏嗎？孫悟空又是我認知的孫悟空嗎？」迦南一臉問號。

「哈哈……我初接觸魔幻世界的時候也和你一樣**充滿❓問號**，但時候不早了，我們邊去課室邊說吧。」唐老師說著，小猴突然跳到她身邊拉著她雪白的手。

「師父……」小猴子黏著唐老師說。

「是老師，不是師父呀。」唐老師糾正小猴。

「不，你是師父，我是孫悟空，我要保護師父你……我只記得這麼多……」小猴**失去了記憶**，但對保護唐老師十分執著。

「真拿你沒辦法……既然校長把你交托給我，你也來跟大家一起上課吧。」唐三藏老師抱起小猴說。

曾經有過不少關於唐三藏和孫悟空的故事，在人類世界中以小說電影流傳。而在東方魔幻世界中，他們的故事，是代代相傳的真實故事。

在東方魔幻世界中，有一個守衛森嚴且遠離塵囂的特別地方——天竺城。那裡是鑽研符咒法術的地方，就像魔幻王國中的智慧之城，無數強大又新穎的法術，都是在天竺城裡誕生。

但天竺城離其他國家城市非常遙遠，附近一帶更有不少兇猛的魔獸潛伏，要把辛苦研發的成果傳承開去，是非常艱難的任務。

那時候東方魔幻世界還未分裂成三個國家，號令天下的東方帝皇——金翅鳳凰，為了讓法術得以流傳，讓國民有更美好的生活，便委派賢能之士前往位處遙遠的天竺城，領取記載符咒法術的典籍帶回來。

第一任往天竺城執行任務的，正是人類唐三藏、猴妖孫悟空、豬妖豬八戒，還有河童沙僧，他們克服**重重難關**，走過千山萬水，最終成功把法術典籍帶回來。

自此之後，以唐三藏為首的這四個家族，每隔一段時間便會派出當代最有實力的人再次遠赴天竺城，繼續前人的任務。

而在一年前，唐三藏老師、豬八戒和沙僧同學的父親，還有現任花果山的猴王孫悟空也順利完成任務。

豬八戒和沙僧的父親由於**年事已高**，所以他們的兒子繼承了他們的名號，在未來將會踏上前往天竺城取經的旅途，而還正值盛年的唐三藏回到東方學園作育英才，孫悟空則回到花果山退隱江湖。

　　「你不跟我一起……去東方學園當教師嗎？」唐老師在離別之前曾問過孫悟空。

　　「當教師這麼**正經八百**的職業不適合我的，我還是適合回花果山，過無拘無束的生活。」孫悟空選擇了離開。

　　然而這位退隱的最強猴王，曾在夕陽下向唐老師許下了承諾：「但我答應你，只要你需要我，無論我身在何方也會以**最快速度**回到你身邊。」漫長而艱辛的旅程中，孫悟空和唐老師有過難忘的回憶。

「我怎知道你有沒有騙我？」
當日兩人也不捨得別離，無奈他們各自有自己
嚮往的生活方式。

「因為我是齊天大聖孫悟空，孫悟空是絕對不會欺騙唐三藏的。」猴王踏上筋斗雲飛到遠方，自此之後，唐老師再也沒聽過關於孫悟空的消息，而忙於教學的她亦沒有為意時光飛逝，一年的時光轉眼已過。

直至東方學園的校長帶著身受重傷，失去大部分記憶的小猴到她面前，她才再聽到孫悟空這名字。

「原來西遊記的故事是真的……」聽過唐老師的解說後，迦南感覺**大開眼界**。

「那故事裡的應該是我的祖先吧。」唐老師帶領眾人踏上長長的樓梯。

「唐老師你喜歡孫悟空嗎？」鬼靈精怪的四葉問。

「**不！當然不是！**」唐老師紅著臉否認。

「如果艾爾文夠膽一年不聯絡我，我一定到人界反轉公會。」只要艾爾文一星期內不聯絡愛莉，愛莉便會瘋狂寄魔法信責罵他。

「悟空他……應該有自己的事要忙吧。」說到陪伴她**歷劫千遍**的孫悟空，唐老師變得有如少女一樣。

「這是想念喜歡的人才會露出的表情呢。」迦南很清楚這感覺，因為她同樣在想念著某人。

「師父，我在這裡呀！」在唐老師懷中的小猴舉起手說。

「我們到達了啦，第一堂課的上課地點就是這裡，而我就是這堂課的講師。」唐老師沒有回應小猴，走過長長樓梯後，一片廣闊的草地就在眾人眼前，而草地上豎立著數十支高聳入雲的石柱。

「既然是第一堂課，就當做熱身運動，我們來玩一個遊戲吧。」唐老師放下小猴微笑著說。

「遊戲？什麼遊戲？」迦南好奇地問。

「你們可以使用任何方法，攻擊也好，逃跑也好，只要在課堂結束前不被我抓到就算勝出，被抓到的同學要到那些**高聳入雲**的石柱上打坐直至課堂結束，而勝出的同學則會額外得到學分。」唐老師邊進行伸展熱身運動邊說。

廣闊的草原上，青龍班的學生們聽到唐老師的話後都以為她在開玩笑。班上學生合共二十人，每人對使用法術或魔法也不是初哥，要在這平曠廣闊的環境捉拿全部學生談何容易。

　　「老師，你太小看我們了吧？」豬八戒認為老師只是人類，又是**女流之輩**，不覺得她有這樣的能耐。

　　「我數十聲後遊戲便會開始，大家趁現在找地方好好躲藏啊。一、二……」唐老師釋放出強大的魔力，在魔幻世界的唐三藏老師，並不是尋常的人類，而是**名震天下**的東方法術專家。

　　「快找地方躲起來吧。」牛魔王已有所行動，但大部分同學還在唐老師的視野範圍。

　　「十！遊戲開始。」唐老師已準備就緒。

「師父由我來保護！你們要抓師父就先過我這關！」

小猴挺身而出，站在唐老師前面。

「傻瓜，是我抓人呀，你忘記了自己也是參賽者的一分子嗎？」唐老師施展束縛法術，金黃的緊箍牢牢束縛住小猴。

「吓？師父！」小猴還來不及反應，就被唐老師以法術傳送到石柱上。

「抓到第一個了，那麼下一個抓誰好呢？」唐老師雖然面露微笑，但她強大的壓迫力令學生們開始心知不妙。

「完全看不到她施法的時機，而且連符咒也沒有拿出就把小猴束縛住了。」迦南已知道唐三藏老師並非**泛泛之輩**，和幾位來自西

方學園的朋友遠離唐老師。

「她可是能完成天竺城之旅的法師，當然不簡單啦！你留意看她施展法術之時，皮膚上某處會發出亮光，因為唐老師把符咒以魔力刻印在皮膚上，這就是她不需要用符咒的原因。」四葉邊奔跑邊解釋，她對這位聲名遠播的女法師略有所聞。

在魔幻世界中**巾幗不讓鬚眉**，這一代的唐三藏不是需要別人保護的僧侶，而是能一騎當千的女中豪傑。

「但是在這麼廣闊又空曠的環境，唐老師很難捉到我們吧？」對自己的跑速和體能信心十足的卡爾，還未知道這場地對他們**弊多於利**。

說時遲，那時快，已有六、七名學生在一瞬之間被抓捕，唐老師不只是法術專家，她在攀山涉水的天竺城之旅還訓練出強健的體魄。

「卡爾！跑快點，老師追過來了！」迦南回頭一望，唐老師正高速向他們接近。

四葉和卡爾變成大狼和妖狐逃跑，迦南則召喚出飛行掃帚，帶著愛莉向高處迴避。

「大家要好好躲藏啊，距離下課還有很長時間呢。」一小時的課堂只過了十分鐘，三分一的學生已被送到高空罰**打坐**，這刻的唐三藏比起老師更像是一個獵人。

「這空曠的環境無處可隱藏身影，與其**坐以待斃**，不如和老師比併一下更有勝算！」豬八戒和沙僧沒有選擇逃避，反而向唐老師作出挑戰。

「終於有學生主動進攻了嗎？歡迎之至。」豬八戒向唐老師揮動鐵耙，但被身手敏捷的唐老師輕鬆迴避。

「主動是好事，但魯莽行事是大忌啊。」
唐老師右手掌心發出亮光，準備把豬八戒綑綁
起來。

「符咒法術，岩石戰甲！」
岩石保護著豬八戒的身體，唐老師的法術未能
觸碰到他的身體。

「符咒法術，蔓藤纏身！」
豬八戒擅長使用岩石屬性的法術，而沙僧的專
長是操控植物。

「啊……」唐老師一不留神，手腳反被地
上伸出的蔓藤束縛住。

「機會來了，岩石大滾球！」豬八戒當然
不會錯失良機，化身成大石球滾向唐老師。

「有兩下子嘛！八戒和沙僧！」四葉以為
勝利在望，若能擊敗唐老師，餘下的學生自然
全體得到勝利。

「但是你們要記著：力量不足，反而會送羊入虎口。」蔓藤阻礙不了唐老師，唐老師認真的一掌，把包圍豬八戒的岩石一擊即潰。

八戒和沙僧也被淘汰出局，但他們的失敗沒有令學生們更加驚慌退縮。

卡爾回到唐老師眼前，而且迦南、四葉和愛莉也選擇和他同一陣線。

「西方學園的團隊合作嗎？來讓老師看看，大家過去有沒有認真學習吧！」

唐老師設定的遊戲規則沒有不准學生合作對抗她，只顧自己的行為，反而更易被逐一擊破。

漆黑的空間之內，吸血鬼安德魯和九頭蛇海德拉不停墜下，充斥黑暗之中的除了他們之外，還有**足以斃命**而且不受控制隨機流動的魔法閃光。

　　這裡是黑洞魔法的內部，安德魯為了保護大家，和海德拉一同捲入了這空間。

　　「我可以死，但你還很年輕，你可以為魔幻世界帶來美好的改變。」雖然兩人身受重傷，但海德拉還有少許魔力尚存。

　　「就算只有你能活下去也好……」海德拉以僅餘的魔力造出保護罩保護安德魯。

　　光芒貫穿了黑暗，黑洞魔法有了缺口，把安德魯吸住光芒中。

　　「**海德拉！**」安德魯想拉住海德拉的手和他一同逃出，但海德拉合上了眼睛，任黑暗把他吞噬。

「**不要！**」安德魯驚醒過來，映入眼簾的不再是黑暗的環境，而是在深山中的瀑布旁邊。

「痛……」安德魯全身疼痛，身上多處傷勢已被包紮好。

「醒來了嗎？你還不能亂動呀。」女生的聲線從後面傳來。

「**迦……迦南？**」安德魯視線還有點模糊，回頭一看只見女生的髮型和迦南相似。

「你昏迷時大喊了這名字很多次呢，她是你很重視的人吧？」女生說。

「你……你是？」安德魯視線逐漸清晰，眼前的女生雖然和迦南相似，但膚色卻蒼白得多，頭髮是深棕色的她，額頭上貼著一道黃色符咒。

「我叫雙雙，是一名殭屍。」身穿古代官服的雙雙揭高符咒，以一雙圓圓的大眼睛凝望著安德魯。

在東方魔幻世界中，不論人類還是妖魔也致力研究讓死者復生和獲得永恒生命的方法，他們雖然尚未取得成功，但卻愈來愈接近這終極目標，做出了名為殭屍的活行屍。

第四章
殭屍與吸血鬼

「殭屍？我到底身在哪裡？海德拉……海德拉呢？」安德魯終於清醒過來，現在他除了腦海充滿問號，還感到**頭痛欲裂**。

「你還不能亂動呀！你身上的傷勢太嚴重了，要不是被雙兒姐姐發現，你恐怕已踏進鬼門關了。」殭屍女孩雙雙強迫安德魯躺下，殭屍女孩力氣不小。

「姐姐？那麼你們有發現和我同行的人嗎？」海德拉在安德魯昏迷前還在他附近，照常理黑洞魔法應該把他們傳送到相同地方。

「我們在萬象森林只找到你一個，沒有發現其他傷者。」雙雙的孿生姐姐——雙兒採集完藥草回來，身穿道袍的她就是靠這些天然藥草配合**符咒法術**，治療安德魯的傷勢。

「萬象森林？這裡是東方領土嗎？」安德魯雖然未踏足過東方魔幻世界，但以閱讀為樂的他曾在書本上看過不少關於東方的資訊。

「你這奇怪的吸血鬼可知道不少呢，我從來未見過像你這種紅色瞳孔，長有一雙白翼的吸血鬼。」雙兒靠近安德魯想檢查他的身體狀況。

「血……我嗅到鮮血的味道。」安德魯感受到強烈的飢餓，他想吸取鮮血的毒癮又再發作。

「姐姐！」雙雙驚叫起來，安德魯突然充滿殺氣，張開口想咬噬雙兒的脖子。

「你還是再睡多一會吧，白翼的吸血鬼。」雙兒不只醫術高明，更是符咒法術的能手，她把**符咒**貼在安德魯額頭，安德魯便再次墮入夢鄉。

「姐姐，他的情況如何？」雙雙擔心著問。

「身體的傷很快就會痊愈，但在他血液裡有股特別的力量，導致他對人類鮮血有強烈的慾求。」雙兒的年紀雖然和迦南等人差不多，但是她**學識淵博**，因為她出身自東方的名門望族。

「那他在姐姐你身邊豈不是很危險？」雙雙問。

雙兒，還有殭屍女孩雙雙本來也是人類，但一個慘劇導致雙雙失去性命，疼愛妹妹的雙兒唯有用符咒法術把她的靈魂封鎖在屍體上，令她得以殭屍姿態暫時存活。

「現在我最擔心的是你呀，我已經只餘下你一個親人……我一定會想辦法令你復活的。」

雙兒知道殭屍法術終有一天會失效，她必須在這天來臨前，找到讓**死者蘇生**之法。

雙兒和雙雙**擁抱落淚**，她們的親人慘遭殺害，為了令妹妹復活，雙兒不惜付出任何代價。

結束了一整天的課堂後，四葉帶著迦南和愛莉來到只有東方學園才具備的特別設施——**露天溫泉**。

「我們今天出了一身大汗，最適合的就是浸溫泉了！」除了消除疲勞外，東方學園的溫泉更有回復魔力的效果，是四葉最愛的課後活動。

泉水熱呼呼的，
真的很舒服啊！

愛莉回復人魚姿態，在溫泉水中暢泳。

　　「東方學園真是個厲害的地方呢。」迦南在人界只有和父母去旅行時才試過浸溫泉，現在她只需留在學園，就能常常享受露天溫泉的樂趣。

　　「而且唐老師真的很厲害。」迦南回想起早前結束的捉迷藏，最終只有一人沒有被唐老師抓到，其餘同學全都被送上高高的石柱上打坐直至課堂結束。

「當然厲害啦！往天竺城的路上滿佈大妖，一般國民都不敢接近。而外界認為唐老師很可能是初代唐三藏的轉生，有望成為歷代唐三藏中**最強**的一位！」四葉誇張地說。

「轉生嗎？」迦南回想起海德拉說過的話，她和安德魯在上一輩子也深愛著對方。

「但那個酷酷的牛魔王也不簡單呢，全班只有他一個沒有被老師抓住。」愛莉不禁讚嘆，合她們三人和卡爾之力，最終也敵不過唐老師。

較早之前，卡爾決定主動進攻，迦南也洞悉到若然分開行動，要撐到課堂結束是幾乎不可能的任務，所以她們決定**聯手合作**，以人數的優勢希望能拖延時間直至課堂結束。

這是唐老師設定這遊戲規則時最希望學生發現的事：空曠的場地沒有能隱藏身影的空間，要跟體力驚人的唐老師比速度更難上加難，唯有同心協力，才有機會戰勝比自己更強的對手。

> 你們的表現很不錯呀，我本來只抱著遊玩心態想和同學們打個招呼，最後也不禁認真起來。

唐老師也來浸溫泉休息。

> 唐老師！你的分身法術真的好厲害，可以教我們嗎？

四葉雀躍萬分。

「當然可以，但那是比較難操控的高等法術，我再安排一下吧。」本來合她們四人之力，唐老師已無法再捉到學生，但就是唐老師在最後關頭使出的分身法術，把學生們逐一擊破。

「這分身法術……是悟空教會我的。」唐老師回憶起往天竺城的旅程中，她教了孫悟空很多導人向善的道理，教會他捨己為人的精神，而相反，這位**驍勇善戰**的徒弟則教會她不少新奇法術。

　　唐老師利用孫悟空所教的分身法術變出四個分身，每個分身也能**獨立思考**和使用符咒法術，所以就算迦南發現唐老師的束縛法術只能以右手使用，但面對數量變多的唐老師也無法應付。

　　「那位孫悟空真的很強很了不起嗎？」迦南好奇這位讓唐老師百般思念的男人是什麼模樣。

嗯……要不是有他結伴同行，恐怕我們也不能完成任務。是他多次把我從水深火熱之中拯救出來。

不知道是因為泉水的高溫，還是因為想起了某人，唐老師滿臉通紅。

老師臉紅了！

四葉和愛莉異口同聲說。

「別說我的事了，我聽說你們阻止了黑魔法派的陰謀，拯救了差點枯萎的魔界樹，但好像還有一位西

方學園的學生參與了那次行動，他沒有來學園上課嗎？」唐老師轉移話題。

「是安德魯⋯⋯他為了保護大家，被吸入黑洞魔法之內了。」說起生死未卜的安

德魯，迦南難掩憂傷。

「唐老師，你學識淵博，你知道被黑洞魔法吸走的人會去什麼地方嗎？」四葉問。

「黑洞魔法是由西方魔法師所創造，我了解的並不多，但是……
我知道那是以把物質轉移傳送為基礎的魔法，我相信你們的朋友一定平安無事的。」唐老師看出了那位不見蹤影的同學，是對迦南很重要的人。

「我相信……安德魯一定會平安回來。」迦南仰望夜空。此刻的她並不知道，在同一天空之下，安德魯此時一樣仰望著相同的月亮。

第五章
馬氏家族

　　月亮映照的另一邊，安德魯再次清醒過來，在吸血鬼超凡的回復能力，再加上配合雙兒的治療下，安德魯身體的外傷已康復得七七八八。

　　「我以後……也擺脫不了想吸血的衝動嗎？」安德魯很害怕，害怕像在皇城保衛戰中失去理智，害怕被心魔操控。

　　大賢者尤莉亞施加的魔法已失效，接下來安德魯必須正視想吸取人血的問題，特別是他的身體還記得迦南那充滿金黃魔力的鮮血的味道，對血液的慾望隨時會令安德魯再次墮入黑暗之道。

「我試著用藥草和符咒減低你對鮮血的慾求，但要克服這毒癮，還是得靠你的個人意志。」雙兒邊調製藥物邊說。

「放心吧，我姐姐醫術高明，一定會想到方法幫你的。」雙雙一直守在安德魯身邊，為他抹汗和換藥。

「謝謝……要不是被你們發現，可能我已死在東方土地之上了。」安德魯說著用力嗅了一下，他嗅到一陣陣特別的氣味包圍著他。

「有味道嗎？很臭嗎？我的藥力應該還未過呀？」雙雙嗅探自己的身體，生怕從自己身上傳出異味。

「不，不臭，我嗅到的是……茉莉花的香味。」香味的確是從雙雙身上傳出，但並不是令安德魯難受的異味。

雙雙擔心的，是殭屍身軀發出腐化的惡臭，她的身軀正一天一天逐漸崩壞。

「雙雙，喝藥吧，我們已沒有時間管別人的事了。」雙兒把湯藥交給雙雙。

茉莉花香是雙兒添加到湯藥的功效。防止雙雙身體腐化，同時以花香掩蓋異味。

「東方的殭屍法術我也略有所聞，在我認知中……那只是操控屍體的法術，但雙雙你有如活人一樣，動作靈活**頭腦清晰**，而且像有靈魂的一樣。」知識豐富的安德魯說。

「那只是用於戰爭的殭屍大法，我們馬家的後人一直在努力研究，讓殭屍能像活人一般行動，甚至**借屍還魂**，讓死者蘇生。」雙兒的終極目標，是讓妹妹再次成為活人。

馬氏家族，是在東方歷史悠久的法術世家，他們的大本營雖然在東方魔幻世界，但是拒絕和妖魔交流，他們的目標只為以魔幻世界的資源，研究對人界有利的法術和藥物。

「讓**死者蘇生**……真的有可能嗎？」
安德魯知道在智慧之城的賢者們也渴望找到永
生的方法，而最接近的成果，就是封印大賢者
尤莉亞這種技術。

「有可能的……家父說過
在馬家的**秘卷**中，有記
載讓殭屍重新變回人類的
秘術，但這秘卷被搶走
了……」雙兒就是參照秘
卷前半部中的法術，
把雙雙的靈魂暫存
在她的屍體中變成
能活動自如的殭屍。
「馬家……已**名存
實亡**了。」但是，
馬氏家族發生了滅門
慘案，在東方魔幻世

界的大本營被焚毀，仍然生還的，就只餘下雙兒和雙雙這對孿生姊妹。

「馬氏家族是東方受景仰的**名門望族**，到底是誰會做出這種事情？」安德魯感到奇怪，東方之中誰有能力又有膽量挑戰法術了得的馬家？

「事情發生得太突然了⋯⋯大批殭屍軍隊襲擊我們的小鎮，當中還有人類和妖魔擔任指揮，他們肯定是早有部署，殺我們一個**措手不及**。」雙雙憶述當晚的事發經過，每當她想起火海處處、刀光劍影的那晚上，她的身體也停不住抖震。

雙雙和雙兒的父母犧牲自己的生命，為她們闢出逃生之路，當時形勢混亂，亂箭橫飛，雙雙雖為雙兒擋下了一箭，但這一箭不幸擊中雙雙的要害，救人心切的雙兒只好向妹妹施展秘術，把她變成**殭屍**。

　　但雙兒只仔細看過秘卷的上半部分，關於起死回生的下半部，她只曾輕輕翻看過。

　　「那幫人恐怕是為秘卷而襲擊我們……他們得到秘卷後就**殺人滅口**，根本沒有打算放過任何一個人。」雙兒感到悲憤，兇徒無論男女老少，就算嬰兒也不留活口，免得身份敗露。

「秘卷被搶走了，那你知道要怎樣才能令雙雙**復活**嗎？」安德魯問。

「不知道，所以我們沒有多餘時間照顧你，我們還要繼續趕路，找有可能知道秘卷內容的人。」雙兒只是碰巧在路途上遇到安德魯，她的首要任務還是拯救和她相依為命的妹妹。

「我跟你們一同上路吧，若果襲擊馬家的人知道有倖存者，一定會將你們趕盡殺絕！你們對我有救命之恩，我絕不能**忘恩負義**。」安德魯想起父親生前的教誨，要做一個能頂天立地，問心無愧的人。

「你不用覺得虧欠我們什麼，要救雙雙，有我一個就足夠了。」經歷過**滅門慘案**，雙兒警戒心變得很重，不再信任其他人。

「姐姐，不要這樣說嘛，多一個人幫忙絕對是好事呀。」雙雙很希望安德魯同行。

「而且我也沒辦法回去……吸血的慾望一日不消除，我就不能回去見迦南。有你們在旁，就算我失去控制也不怕無人阻止。」安德魯害怕自己會再次**失控**，害怕傷害到他心愛的人。

雙兒終於首肯，答應讓安德魯同行：

我都變成殭屍了，還怎會受傷呢？總之多一個人上路，一定會更安全和更有樂趣呀。

雙雙笑著兩眼有如一雙彎月。與刻板的雙
兒不同，雙雙總是臉帶笑容。

吸血鬼和殭屍結伴同行，可算是魔幻世界**有史以來的第一次**，雙兒和雙雙的目標是找尋有可能知道秘卷下落的人，而安德魯最渴望的是清除對血液的毒癮。為了回迦南身邊，安德魯現在必須忍受分別的痛苦。

　　然而除了迦南和安德魯外，在東方學園還有人在承受思念帶來的痛苦。

　　翌日早上，唐老師早早就起床呆坐在書桌前，但她的眼袋又黑又大，因為昨晚她徹夜難眠。

　　「要不要⋯⋯送一隻傳信鵒去花果山呢？」唐老師想了一整晚，垃圾桶內裝滿了皺褶的信紙。

　　「**唉呀！**這種事應該男生先作主動才對呀，孫悟空這笨猴子怎能一年都不跟我聯絡呢？就算是朋友也會互相問候呀，再說，我也

算是教了他很多東西的師父，他應該要主動找我才對呀！」自從和孫悟空分別後，唐老師經常在宿舍**自言自語**。

「還是⋯⋯往後再算吧。」很多次，唐老師也想過放出傳信鴿，但最後都以放棄告終。

不肯踏出第一步，不知不覺就過了一年，也不知不覺，愈來愈難**鼓起勇氣**去做主動。

唐老師收拾心情，準備開始新一天的教學，但她推開大門之後，卻發現小猴正守在她門外。

唐老師彎低身子凝望著小猴說：

「我在守門口呀，不然在師父你熟睡時有壞人來襲就危險了。」小猴拿著木棍子一整晚守護著唐老師，就算多渴睡，也沒有閉上眼睛休息。

你這傻瓜……這裡是東方學園，又怎會有壞人襲擊我呢？

唐老師想起在旅遊途中，孫悟空亦是每晚在她熟睡時守護著她。

壞人無處不在呀，我一定會好好保護你的。

小猴神情認真，失去記憶的他，堅決守護唐三藏。

這帽子……是法器？

唐老師發現帽子牢牢固定在小猴頭上的原因，是因為帽子上加諸了法術。

失憶的猴子自稱是齊天大聖孫悟空，頭上頂戴的是被施加了法術而無法取下的法術道具，唐老師開始好奇，這突如其來的小小守護者，到底是從何而來？

◆第六章◆
首席

　　東方學園法器庫內，對法術器具甚有研究
的鶴仙翁正露出**一臉愁容**。

　　「鶴仙翁，怎樣？你知道這帽子是什麼法
器嗎？」唐老師帶小猴到訪，因為她實在毫無
頭緒。

唔……這帽子毫無疑問是
施加了特殊法術的法器，
但我沒有信心能解除呢。

　　鶴仙翁**小心翼翼**的
檢查小猴頭上的帽子。

師父……我不喜歡
別人碰我的帽子。

　　小猴扁起嘴巴說。

乖，我們在想辦法幫你取下帽子，你的失憶症可能和這帽子有關。

　　唐老師檢查過小猴身體，小猴一切正常，除了這摘不下的帽子阻礙了她檢查小猴腦袋。

　　「這鎖子蘊含著強大魔力，而且對外來法術有防禦功效，若然不知道法術本來面貌，我們貿然解除，可能會有危險。」鶴仙翁怎樣拉扯帽子，它也**文風不動**。

很痛呀！不喜歡！討厭你！

　　小猴躲到唐老師背後對鶴仙翁說。

「會有危險？」唐三藏邊安撫著小猴邊問。

「因為我們不知道施術者會不會加了防止別人解除的措施，若然我們強行解除，不排除會發生**爆炸**，傷及這小猴子。」鶴仙翁不敢輕舉妄動。

不過……這小猴子是從哪裡來的？

鶴仙翁從未見過小猴。

「是校長交托給我照顧的，我也不清楚他的來歷，但他自稱是**孫悟空**，更揚言要保護我。」唐老師想幫助小猴回復記憶，同時亦很好奇他的出生來歷。

「校長現在不知身在何處，為今之計只有等校長回來，看看他對這小猴所知道的事情有多少吧。」鶴仙翁說。

「那我暫時當小猴你的**監護人**吧，跟大家一起去上課好嗎？」唐老師抱起小猴說。

「師父，我才是你的監護人呀，我們去上課吧！」小猴喜歡在唐老師懷中的感覺。

小猴的身世還未能弄清，而帶他來到東方學園的麒麟校長，正身處被業火洗劫過的馬家大本營。

東方法術世家，馬氏家族的大本營現在只剩**頹垣敗瓦**和被火海焚燒過的痕跡，東方學園的麒麟校長和副校長龜仙翁收到傳信鵲後來到此地。

「校長，消息果然無錯，馬氏家族真的遭受到大規模襲擊。」龜仙翁看到被燒焦的殘骸，難掩悲哀。

「東方大地表面上雖然風平浪靜，但暗湧已在我們看不到的地方冒起了。」麒麟校長一直有留意在東方魔幻世界境內發生的不尋常事。

先是萬象城受到不知名的商人帶齊人馬搶劫，現在馬氏一家更發生了滅門慘案，而兩件案件的犯人也身份不明，**逍遙法外**。

「狸貓一族也好，馬氏家族也好，他們也不是好欺負的名門世家……襲擊他們的人勢力只怕遠超我們想像。」龜仙翁說。

「我和三位國君也有不錯的交情……以我所知他們不會幹出搶劫滅門這種惡行，我只怕有人盤算著更大型、更**陰毒**的計劃。」麒麟校長四處張望，希望能找到生還者。

「不知道馬家……有沒有還活著的後人呢？」麒麟校長還未知道馬家有一對孿生姐妹逃過一劫，而這對孿生姐妹更會對東方魔幻世界造成重大影響。

四合院中央的比武擂台上今天又再有學生進行排名戰，東方學園著重學生的實戰能力，從西方學園來的卡爾也**不甘示弱**，誓要爭奪第一名的寶座。

「沒有更強的挑戰者了嗎？」人狼卡爾

身經百戰，狀態大勇的他已一連擊敗三個

對手，排名位置持續上升。

「八戒哥，這頭人狼真的不容小覷。」河

童沙僧已落敗，今天的卡爾**勢不可擋**。

「我只是一時不小心才被他有機可乘……

我不服輸！我休息一會再挑戰過。」豬八戒一

樣已成為卡爾的手下敗將。

「卡爾先休息一下吧，我準備了點心給你

補充體力呀。」看到未婚夫技驚四座，四葉感

到很光榮。

不，我還能繼續戰鬥，下個挑
戰者是誰？難道東方的妖魔都
是無膽匪類嗎？

卡爾不願停下，他很心急想要進行下一場

比試。

「竟然不吃點心？你們有沒有發現卡爾最近有點奇怪？」愛莉疑惑地問。

「這傢伙真的有點反常呢……平常他只要聞到食物的香味就會奔跑過來。」就連四葉也不明所以。

「由得他吧，這是他**抒發情緒**的方法。」迦南能感受到卡爾的傷痛。

她們不明白，但迦南卻知道卡爾失常的原因，安德魯為保護大家而被捲入黑洞魔法，卡爾覺得自己要負上責任，如果他再強一點，如果他跑得再快一點，他或許就能救出安德魯，失去摯友的傷痛，令他不敢停下腳步，他要變得更強，強得能在安德魯回來前保護好大家。

除了青龍班外，其他三班的高排名學生也**蠢蠢欲動**，想教訓這氣焰囂張的人狼，但他們還是按捺住，因為四班之中排名首席的妖魔已有所動作。

「既然你戰意如此高昂，不如就由我來和你切磋切磋吧。」

四班之中排名第一的**牛魔王**，自從他登上首席後就未嘗敗績。

「牛魔王大哥親自出馬嗎？」豬八戒感到**錯愕**，學生現在的排名是繼承自上一年的成績，而牛魔王得到第一名後，足足有半年時間未有再次踏上擂台。

因為沒有人敢挑戰這位首席，在同級別中已無人能敵的他甚至和更高年級的學生進行過閉門排名戰，雖然戰果並沒有被公開，但有傳聞接受過牛魔王挑戰的高年級生，全部都受到要休養一週以上的傷勢。

「你是在場最強的一個了吧？打敗你之後我就是這裡的**老大**，誰也不能再欺負那小猴子，可以嗎？」卡爾想替小猴出頭，更想見識站在首席之位的妖魔會有多強大。

「若然你能辦得到。」牛魔王躍到擂台中央，震撼力讓擂台出現**強烈晃動**。

在唐老師的捉迷藏遊戲中，唯一的勝出者牛魔王終於再次踏上擂台，接受卡爾的挑戰。

第七章
燒焦味

　　擂台之上進行著矚目的排名戰，來自西方學園的人狼卡爾硬拼東方學園中**無人不曉**的牛魔王。

　　「加油呀，卡爾！牛大哥也不要手下留情啊！」四葉同時為兩邊打氣。

　　「四葉你和那位牛魔王關係很好嗎？」愛莉留意到四葉總是稱牛魔王為大哥。

　　「對呀，就像是大哥哥一樣吧。我以前也是排名戰的常客呀，而且排名一直上升，讓我以為自己很強，很了不起。」四葉活潑好動，而且**不甘心**落後於男生，雖然大多數對手也是技不如她，但有部分強者是刻意禮讓，不想下重手傷害到這**得勢不饒人**的小丫頭。

　　「是牛魔王大哥挫敗了我，讓我學會收斂

和虛心學習。」四葉在排名戰第一次落敗，就是敗在牛魔王手上。

「不只**器宇不凡**，而且是個會照顧別人的好男生呢。」愛莉看出牛魔王與別不同，完全不像同年級的學生。

「重點是，牛大哥不只很強，還很俊俏！」四葉知道在東方學園不論男女學生，也十分仰慕牛魔王。

「**鐵碎狼爪**！」卡爾**先聲奪人**，面對排名首席的牛魔王也毫無懼色。

「速度快，但力道稍嫌不足。」卡爾的揮爪被牛魔王以單手輕鬆擋住。

「放心，我怕太快把你打倒會很無趣味，所以才留力罷了。」卡爾面露笑容，能遇上旗鼓相當的對手讓他莫名興奮。

因為陪他對練多年，和他旗鼓相當的安德魯，已不在了。

「你的眼神充滿怒火，若然透過搏鬥可以幫助你抒發出來，我樂意奉陪。」不需要拿出符咒，牛魔王的身體逐漸變成鋼鐵，東方學園四年級的首席，實力跟不須畫出魔法陣就能使出黑火炎的阿諾特站在同一層次。

你在小看我嗎？很快你就會感到後悔了！

卡爾加速進攻，每一下揮拳舞爪的力道也在上升，有如在發泄心中的鬱悶。

　　「你的怒火就只有這程度嗎？看來迫使你變強的理由和我相比之下，實在不外如是呢！」牛魔王**不動如山**，鋼鐵般的身軀難以被撼動，凝聚在他鐵拳上的魔力正愈來愈強。

　　「住口！你什麼也不知道，就不要一副高高在上的樣子！」卡爾被觸碰到痛處，皇城保衛戰後，卡爾每天訓練的時間加多了一倍，就算有多疲累也**風雨不改**，因為他現在有不能不變得更強的理由。

　　「那就用實力來說服我吧，囂張的人狼。」牛魔王全力的重拳直迫卡爾，卡爾不作防禦，利爪橫揮向牛魔王的脖子。

　　「**停手！**」兩人的全力一擊被突然降臨的唐老師兩手以太極拳法輕輕化解，失去重心的他們被摔倒地上。

「你們還是小孩子嗎？排名比試從來點到即止，你們剛才幼稚的行為足以被罰退學呀。」唐老師生氣的說。

「嘻嘻，師父，他們是**笨蛋**呀。」小猴嘲諷爭鋒相對的牛魔王和卡爾。

唐老師環顧四週，無論是排名戰被卡爾所傷的人，還是圍觀的同學也流露尷尬的氣氛，東西共融的青龍班同學還未能和諧相處。

「為了讓大家和睦共處，今天的課堂就改為再玩個遊戲吧。」唐老師把手按在地上。

龐大的符咒顯現地上，發出亮光，青龍班的同學們全都被傳送到東方學園的一個著名景點——桃花源。

雙兒和雙雙繼續她們的旅程，但現在多了一個吸血鬼同行。雙兒還是一貫冷漠的態度，但雙雙卻十分興奮，**雀躍萬分**。

吸血鬼不怕太陽嗎？

雙雙圍繞著安德魯邊走
邊問。

「不……不怕。」

安德魯感到有點難為情。

吸血鬼吃的食物和人類一樣嗎？

雙雙對安德魯很感興趣。

「一樣的就可以了……」

安德魯感覺似曾相識。

那吸血鬼會在棺木睡覺嗎？

連眼神也很相似。

「會……」安德魯回想起這些問題迦南都曾問過，以這種充滿**好奇心**的眼神凝望著他問。

「雙雙你別纏繞著他啦，你看他都露出厭惡的表情了。」雙兒只想快點到達目的地。

「但人家第一次認識到真的吸血鬼嘛……」嚴格來說雙雙已經死了，在她有限的生命裡所見識的並不多，能以殭屍姿態去結識新朋友，可算是奇蹟。

天下之大是多麼值得我們去探索，無奈世事無常，生死有命。

不，我不討厭……我只是想起一個人罷了。

安德魯多麼想回去學園，無奈他現在還擺脫不了吸血的慾望。

「是那位叫迦南的人嗎？還是海德拉？在你昏迷的期間，你不停喊著這兩個名字呢。」雙雙好奇這兩個人和安德魯是什麼關係，重要得他在**瀕死邊緣**也不停想起。

「對了……海德拉，不知道他是否還活著呢？」安德魯深知若然沒有受海德拉的保護，他的傷勢一定更嚴重。

雖然海德拉是黑魔法派的領袖，是令無數人**生靈塗炭**的元兇，但在知道海德拉的身世後，安德魯認為他絕非純粹的邪惡分子。

相比之下，不論男女老少也狠下殺手，屠殺馬氏一家的犯人更要**殘酷無情**、麻木不仁。

「我沒記錯的話，這條階梯上的道觀，是曾在馬家修行的弟子所設立的，他們很可能知

道秘卷下半部的內容。」雙兒期望能在這裡找
到令雙雙復活的方法。

　　把靈魂存放於屍體的殭屍之法只是權宜之
計，雙兒不肯定這方法能為雙雙爭取多少時間，
法術失效只是時間長短的問題。

　　「我嗅到⋯⋯燒焦還有血液的味道。」
安德魯現在的五感十分敏銳，長長階梯上傳出
的氣味他亦能嗅到。

　　「我有不祥的預感⋯⋯」明明在山林之中，
附近卻鴉雀無聲，雙兒認為事有蹊蹺。

　　「我先行一步了。」安德魯深知不妙，展
翅高飛希望盡快趕到。

　　雙兒和雙雙只能盡力奔跑，而安德魯轉眼
間已越過階梯降落地上，可惜道觀已成廢墟。

　　「**吸血鬼**？東方大陸之上怎會有吸血
鬼？」身穿道袍的羊頭妖魔，羊力大仙說。

不只道觀受到嚴重破壞，在這裡鑽研法術的人亦慘遭殺害，安德魯環顧四週，只見羊力大仙和大量穿著官服散發詭異氣息的殭屍。在**民間流傳**的故事中，羊力大仙和他的兩位師兄是偽裝成人類道士，以妖法欺騙國王謀財害命的騙子，而在東方魔幻世界的他們，是更深謀遠慮，不擇手段的**邪魔外道**。

◆第八章◆
桃花源

　　東方魔法學園內有一個面積廣闊的桃紅樹林，名為桃花源，種滿桃花樹的這裡有如人間仙境，空氣中瀰漫著桃花芳香，但是這裡和西方學園的霧林有著相似的地方，不歡迎學生隨便入內。

「我剛才明明還在擂台上，怎麼一眨眼就來到這奇怪的地方呢？」卡爾四處張望，週圍卻一個人也沒有。

不只卡爾，迦南和其他青龍班的同學也一樣被分散傳送到桃花源內。

「各位同學，這次遊戲的內容是野外定向，大家可以**任意**使用法術和魔法，最快來到我身處的位置為之勝出，提提大家，這次遊戲也是有學分獎勵的啊！」唐老師的聲音響遍桃花源，一道持續上天空的光柱，標示著唐老師身處的位置。

「這麼簡單？那今次勝出的一定是我！」人狼的奔跑速度有絕對的優勢，卡爾立即朝著光芒之處起步。

「呀，我差點忘記告訴大家，在桃花源內，**肉眼所見到的事物未必為真實**，大家要動動腦筋才能走到目的地啊！你們每人身上也有我給你們的提示，要好好利用呢！」唐老師說。

「這東西就是老師說的提示嗎？」迦南發現裙袋中有一件扇形的**木塊**，但她完全不知道這木塊有什麼用途。

94

「為什麼光芒跟我的距離，好像愈來愈遠？」卡爾發覺不妥，明明朝著光芒奔跑，光芒卻**愈來愈遠**。

這就是桃花源的特別之處，桃花源施加了令人容易迷路的法術結界，在這裡眼見的東西，並不一定在肉眼所見的位置，所以卡爾以為自己朝著光芒在跑，實際上卻是向著相反的方向。

「不要緊，我的鼻子這麼靈敏，只要集中精神一定能嗅出唐老師的位置。」卡爾閉上眼睛，想以嗅覺代替視覺。

「唔……除了花香外什麼也嗅不到呢。」卡爾抓著頭皮苦惱地說。

視覺不能**信以為真**，嗅覺被花香佔據，桃花源的神秘之處還不止於此。

「安……安德魯？」卡爾看到桃花樹叢之間，有一個熟悉的身影，但他想靠近的時候，身影卻離他遠去。

桃花源內瀰漫的香味，有使人看到幻覺的效力，令人看到想念的人或事物。

　　「別跑！安德魯！」其實卡爾和迦南一樣，安德魯的失蹤同樣對他帶來沈重的打擊，他失去的不只是同學、朋友，更是情同手足的親人。

　　被香味影響的不只卡爾，青龍班的同學們也面對著相同困惑的情況，但有一人卻樂在其中。

　　「香蕉……香蕉你別跑呀……」小猴邊跑邊流口水，他完全忘記了要趕快去到唐老師的所在位置。

　　「唉呀！」眼中只有香蕉的小猴撞上厚實穩重的背影。

　　「**又是你這小猴子。**」牛魔王一臉嚴肅的說。

　　「啊！你是很弱的牛牛，我不是小猴子，我是齊天大聖孫悟空呀。」小猴笑著說。

「不要以為是小孩，就可以拿齊天大聖來開玩笑，再讓我聽到孫悟空三字在你口中說出，就別怪我對你不客氣。」牛魔王散發出濃烈的**殺氣**，孫悟空這名字，對他也有特別的意義。

「我就是孫悟空呀，為什麼我不能叫自己的名字？」小猴感到**莫名其妙**。

「住口，你這**不知天高地厚**的劣猴。」牛魔王一步一步行近，舉起右手的他像是要掌摑小猴。

「我不是劣猴，你才是劣牛！」小猴無畏無懼。

「枉我以為你是**一條好漢**，原來和那肥豬一樣是個欺負弱小的惡霸。」卡爾追著安德魯的身影，找不到友人，卻找到了仇敵。

「你又要袒護這無禮的小傢伙嗎？要不我們就在此繼續剛才未完的比試吧？」牛魔王把怒氣轉移到卡爾身上。

「無禮？在我眼中你才是最無禮的那位！」卡爾**擺好架式**，他不允許自己的信念被牛魔王踐踏。

「你們兩個又吵架了，剛才師父才叫你們不要吵架呀。」小猴走到兩人之間想勸阻，褲袋中突然掉下了一個扇形木塊。

「香蕉？不是香蕉，這個是？」小猴拾起木塊說。

　　牛魔王看到木塊後收起了**怒氣**，因為他知道木塊為何物，回復往常的冷靜和理智。

　　「這東西是用來指引我們離開的方向儀，但我們還需要多一塊，能拼合成完整圖形的一塊。」牛魔王把自己的木塊和小猴的拼合起來。

　　「我這塊可以嗎？」卡爾把自己收到的木塊交到牛魔王手中。

「看來我們很幸運呢，三塊剛好補圓了這方向儀。」

牛魔王手中方向儀飄浮出一個發亮的箭咀，唯有跟隨這箭咀才能走到光芒所在的正確位置。

「若我們最快找到師父，是不是會獎我們很多香蕉？」小猴兩眼發亮問。

相比起純真而不記恨的小猴，牛魔王和卡爾頓覺自己原來是多麼幼稚，多麼容易就**大動干戈**，連眼下最重要的事情都可以忘記。

第九章
羊力大仙

　　另一邊廂，部分同學也發現破解桃花源幻覺的關鍵，是集齊三塊不同的木塊，組合出方向儀，但也有人大受幻覺影響而**情緒失控**。

　　「豬八戒！你到底對迦南做了什麼？」四葉找到了愛莉和兩位同學，一同收集木塊並提醒對方別受幻覺迷惑。

　　「我什麼也沒有做過啊⋯⋯我本想問她借木塊合併，但那時的她已經是這副模樣了。」豬八戒委屈的說。

　　魔力如火焰般燃燒起來，把附近的桃花樹也燒毀，迦南跪在地上**失聲啜泣**，眼淚還來不及掉落已蒸發掉。

　　「迦南⋯⋯」愛莉操控起空氣中的水分，想撲滅迦南釋放出的火焰。

「我知道是假的……眼前的只是幻覺,但我就是忍不住眼淚,不捨得離開……」迦南看到的幻覺,是安德魯。

就算明知道是假象也不能邁開步伐,迦南在為自己的軟弱痛哭。

「**傻瓜**!盡情哭個夠吧,不要再壓抑自己了。」四葉知道迦南裝作和往常一樣,但心裡的苦痛一直在蔓延開去。

「別擔心,我們會陪著你的,直至你看到的不再是幻覺,而是真真正正的安德魯。」愛莉明白**相思之苦**,也對安德魯能平安回來抱有信心。失控爆發的魔力漸漸消散,迦南放聲哭泣把壓抑的情緒得以抒發,四葉和愛莉走到她身邊,以擁抱安慰摯友的心靈。

桃花源的考驗,是信任和團結,要相信對方能帶你走出幻覺,也要相信對方會陪伴你走到目的地。

安德魯目露兇光，不只現場的死傷者，安德魯估計襲擊馬氏家族的人也一定和面前的妖魔有關。

「白色翅膀的吸血鬼是**難得一見**的樣本，相信活捉你回去的話，大師兄和二師兄一定會很高興呢。」羊力大仙一手舉起符咒，另一隻手搖晃鈴鐺，殭屍們像接收到指示一樣，向安德魯蜂擁而上。

「不回答也不否認，即是我說中了吧。」安德魯手心亮起**閃電**，現在安德魯已能控制部分血液內源自迦南的金黃魔力。

像他的父親安古蘭和阿諾特能隨意使用黑火炎，安德魯就算不畫出魔法陣，也能隨心所欲召喚出雷電。

行動遲緩又僵硬的殭屍雖然為數不少，但安德魯已**今非昔比**，以迅雷不及掩耳的速度邊閃避邊擊倒敵人。

　　「你果然很有研究價值，我的任務只為把這裡夷為平地，卻想不到會有意外收穫呢。」羊力大仙再度搖晃鈴鐺，倒下的殭屍再次站了起來。

　　「這種無靈魂的**傀儡**，來多少我也不怕。」安德魯無懼人多勢眾，勇敢深入敵陣。

　　一個又一個殭屍被打倒，但一次又一次重新站起，安德魯面對的雖然不是強悍的對手，但卻是不死的大軍。

「要不然讓你也成為他們的一分子吧。」
羊力大仙狡猾地笑，體力開始下降的安德魯一
個不留神被抓住兩手。

殭屍趁機張開大口，想要咬噬安德魯的手
臂。

「吹雪召來！」幸好雙兒及時趕到，
以符咒法術凍結安德魯週圍的殭屍。

「五形拳，龍形拳法！」精通武術的雙雙
以拳法搏擊為安德魯解困。

「你們……是馬家的倖存者？二師兄行
事真不小心，大師兄吩咐過不留活口，卻還走
漏了兩隻小老鼠。」羊力大仙胸有成竹，就算
多了雙兒和雙雙他也不放在眼內。

「你到底是什麼人？我們馬家從不和人結
仇怨，為什麼要傷害我們？」雙兒憤怒無比，
殺害他家人的仇敵近在眼前。

「這一點你們不需要知道，因為很快你們

也會和這些殭屍一樣，成為無靈魂的軀殼。」
羊力大仙打算**斬草除根**。

「羊力大仙，時候不早了，老闆不喜歡別人遲到。」在場的一直不只羊力大仙和殭屍，穿著筆直西裝的男子從羊力大仙的影子冒出來。

「算你們走運，好好珍惜僅餘的時間吧，不久之後，東方魔幻世界將會再次烽煙四起。」羊力大仙一聲號令，所有殭屍跳回他的身邊。

「你們⋯⋯休想逃走！」雙兒取出符咒準備施以重擊。

「忍法，*瞬間轉移*之術。」男子施展法術的瞬間，襲擊道觀的犯人們全部消失得無影無蹤。

「*可惡！*」雙兒只能目送仇人離開，憤怒的她按住胸口叫痛。

雙雙馬上扶住雙兒。

殭屍法術需要消耗大量魔力，雙兒為了雙雙已**元氣大傷**，但敵人卻製造出數量驚人的殭屍大軍，可見這班敵人背後擁有難以想像的龐大魔力。

「穿西裝會使用忍術的人類，我對這人有印象……」安德魯想起在拍賣會當日，收藏家的保鏢中，有一人尚未落網。

突然四處生事的**殭屍大軍**，會操控殭屍的高等妖魔，還有暗中協助他們的人類，安德魯開始擔心，他們已被捲入龐大的陰謀。

◆第十章◆
理想的和平

被破壞的道觀範圍死難者**多不勝數**，雙兒一心想找知道秘卷下半部的人，卻目睹有可能是襲擊馬家的同一伙人，她們打算安葬好死者後再踏上旅途，而**不幸中之大幸**，她們找到一位一息尚存的傷者。

「姐姐，怎樣？」雙雙問。

「不行了⋯⋯他受的是**致命傷**。」雙兒只能眼白白看著傷者氣絕。

「唐⋯⋯三藏。」但在他氣絕前的最後一刻，說出了唐三藏這三個字。

「唐三藏？什麼意思？難道能救回雙雙的方法是去找唐三藏？」雙兒**心急如焚**，搖晃著再睜不開眼的死者問。

「姐姐……算吧。」雙雙知道她們錯過了問出方法的機會。

「穿西裝的忍者……襲擊你們的殭屍操控者，還有唐三藏，雖然我不知道三者有什麼關連，但我相信要是找唐三藏，可能就會知道犯人的**真正身份**。」安德魯思考著說。

「但我們要去哪裡找唐三藏？」雙雙問。

「我也不知道，我只知道她在一年前完成了天竺城的任務，但之後她去了哪裡，我就不得而知。」雙兒不知道唐三藏成為了東方學園的教師。

「既然她是名人，相信只要到大城市調查一下，一定能打聽出她的下落。」安德魯估計死者的遺言一定藏著重要的信息。

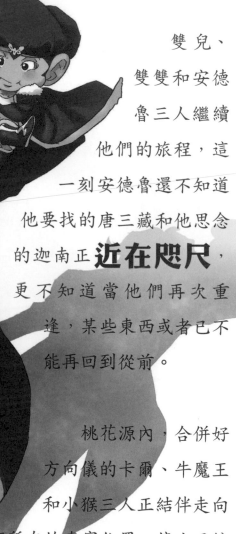

雙兒、雙雙和安德魯三人繼續他們的旅程，這一刻安德魯還不知道他要找的唐三藏和他思念的迦南正**近在咫尺**，更不知道當他們再次重逢，某些東西或者已不能再回到從前。

桃花源內，合併好方向儀的卡爾、牛魔王和小猴三人正結伴走向唐老師所在的真實位置，停止了紛爭的卡爾見牛魔王**久久不語**，決定主動打開話題。

卡爾問……

你為什麼對孫悟空這麼執著？你們有過什麼過節嗎？

「不，相反，他是我仰慕的人，我的目標。」牛魔王看著小猴說。

「在東方魔幻世界，就只有孫悟空曾單人匹馬打敗我的父王。」牛魔王抱起受幻覺迷惑以為有香蕉的小猴說。

「**父王？**」卡爾不知道牛魔王身份不簡單。

「我的父王是東方三大國中，帝都的國王，黑牛帝。」牛魔王是帝都的王子，也是最大機**會繼承王位**的繼任人，但他的理念和父親不一樣。

昔日孫悟空和唐老師一行四人遠赴天竺城，而要前往天竺城必須越過**火焰山**，但火焰山的石頭長年自燃產生火焰，妖魔和人類也難以承受得住那上千度的高溫，唯有借助黑牛帝擁有的芭蕉扇把火撥熄才能通過。

　　要借用黑牛帝的法器必須接受他的挑戰，孫悟空單靠一人之力擊敗黑牛帝，是東方的一時佳話。

　　「看來孫悟空真的名不虛傳呢。」卡爾說。

　　「但天竺城之旅完結後，孫悟空決意歸隱花果山，像他這樣有實力又願意為蒼生著想的人，卻沒有**一統三國**的想法，這是很遺憾的事。」牛魔王一臉愁容。

「照道理這樣不是更有利於你和你的父王嗎？」卡爾不明所以。

「東方的鬥爭就像這桃花源一樣，眼看不為實，父王理想的和平，是建築在戰火後的極權統治。要阻止他，我就唯有盡早變得強大，取代他成為帝都的國王。」所以牛魔王努力不懈，他要守著 **首席之位** ，要成為所有人認同的霸主，這樣才能堅守他想要的和平。

「真有抱負呢……」卡爾沒有這麼宏大的理想。

「那你呢？是什麼推動你想要變得強大？」牛魔王問。

「我的 **摯友** ……在戰爭中失去蹤影，生死未卜，如果那時的我再強大一點，再跑得快一點，事情就不會發展成這樣。」卡爾對安德魯的事一直自責。

「所以我更不能停下腳步。在他回來之前，我一定要保護好他最重視的人，保護好大家。」卡爾說。

「我很羨慕你這位朋友，能有你這麼**肝膽相照**的好朋友。」牛魔王理解到自己之前對卡爾的冒犯。

「我覺得我們也能成為好朋友呢。」卡爾也明白到為何牛魔王對孫悟空這麼敏感。

唯有互相理解，

才能結成好友，而在**變幻莫測**的世界生存，多一個朋友，絕對勝過多一個敵人。

「奇怪……方向儀失效了。」牛魔王發現飄浮的指引突然消失。

「那道光也消失不見了。」卡爾也發現標示唐老師所在的光柱**無疾而終**。

小猴按住頭顱，身體抖個不停。

找尋唐老師的指引全都不見了，取而代之
出現在桃花源內學生們面前的，是大批穿著官
服的殭屍大軍。

我的
吸血鬼同學

巨猿現身桃花源，為了解開小猴身世之謎，
迦南等人將會來到孫悟空的出生地——花果山。

獵人團隊重裝出擊，面對日漸壯大的不法組織，
吸血鬼王子與艾爾文聯手出擊。

為了拯救雙雙，安德魯踏入了東方男性不敢進入的領土——女兒國。

vol.12 預定 2021 年 12 月出版

創造館全新開發小說「花漾系列」打響頭炮首作——
我的吸血鬼秘書
MY VAMPIRE SECRETARY
文——陳四月
圖——余遠鍠
文——陳四月 圖——余遠鍠
我的吸血鬼秘書
MY VAMPIRE SECRETARY
每冊七十八元
創造館 CREATION CABIN

流著一半吸血鬼血統的安娜，既害怕陽光又會被鮮血誘惑，但這樣的她，依然渴望像個普通人類女孩般生活、工作、談戀愛。求職路上屢受挫折的安娜，近日終於迎來人生第一份正常工作——皇城會長的秘書。

前會長私生子光臣空降會長職位備受爭議，這個儀表不凡的富二代骨子裡是個完美主義的自戀狂，當他知道自己的秘書居然是吸血鬼，到底會鬧出怎樣的趣事？安娜能否保住難得的飯碗？

人類和吸血鬼的職場
愛情故事，就此開幕！

１１月出版！

累計熱賣 500,000 冊
《童話夢工場》人氣插畫家

貓十字 Neko Kreuz

The Reundies

幸福小團圓

聖誕獻禮
2021年
壓軸登場！

一班陪伴你走在人生旅途上的圓渾小團員，
傻萌討摸模式全開，可愛爆表到犯規！

這是一部溫柔的書，可以送給自己或朋友，
成為打氣加油的小禮物啊！
但願能在大疫之年，
給不同年齡層的讀者帶來一點慰藉！

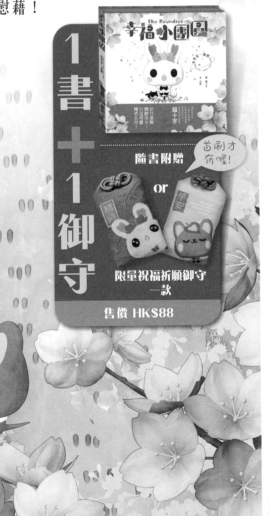

童話夢工場

總動員功課袋

正面

隨第23期《花木蘭傳奇》特別版發售
1書+1功課袋,售價$138
11月出版!

全新設計
2021-22學年

背面

神探 包青天

Detective Bao

創作繪畫◎**余遠鍠**　　故事文字◎**何肇康**

※糅合中華傳統文化 ｜ ※引用詩詞修習文學 ｜ ※獨有現代推理元素

vol.1-7 經已出版

我的
吸血鬼同學

創作繪畫	余遠鍠
故事文字	陳四月
策劃	YUYI
編輯	小尾
設計	siuhung
實景	張耀東
製作	知識館叢書
出版	創造館

CREATION CABIN LTD.
荃灣美環街 1-6 號時貿中心 6 樓 4 室

電話	3158 0918
發行	泛華發行代理有限公司
	香港新界將軍澳工業邨駿昌街七號二樓
印刷	美雅印刷製本有限公司
出版日期	2021 年 10 月
ISBN	978-988-75784-7-5
定價	$68
聯絡人	creationcabinhk@gmail.com